LIBRARY

L'encyclopédie Larousse des 6/9 ans

Vivre avec les autres

Textes :

Sophie Bolo
Laure Cambournac
Marie-Agnès Combesque

Illustrations :

Olivier Schwartz
Anne Wilsdorf

Direction de la publication : Dominique Korach
Direction éditoriale : Françoise Vibert-Guigue, Nathalie Weil
Direction artistique : Frank Sérac
Maquette : Cynthia Savage
Lecture-correction : Jacqueline Peragallo
Fabrication : Jacques Lannoy

L'encyclopédie Larousse des 6/9 ans

Vivre avec les autres

LAROUSSE

Sommaire

Vivre avec les autres

Être ensemble

On ne peut pas vivre seul.

Les relations avec les autres s'apprennent dans la famille.

Un pays est un territoire où des gens vivent ensemble.

Les uns et les autres

Dès sa naissance, le bébé fait partie d'une communauté dont il va partager les habitudes, la langue, les traditions, les goûts...

On ne peut pas vivre tout seul

À sa naissance et pendant de nombreuses années, un enfant ne peut pas survivre tout seul. Il a besoin de ses parents ou d'un adulte pour le nourrir, le protéger, le soigner, lui apprendre à marcher, à parler, à développer son intelligence. Voilà l'originalité des humains : ils ne sont pas faits pour vivre seuls. Ils ont besoin les uns des autres. C'est pourquoi les hommes vivent ensemble, en société. D'abord dans une famille, mais aussi dans la communauté* plus large d'une ville et d'un pays.

À peine né, un bébé fait déjà partie de la société*, il a une **identité** : son prénom et son nom.

Accueilli par la société

Dans les trois jours qui suivent la naissance d'un enfant, ses parents déclarent à la mairie qu'ils viennent d'avoir un bébé. Au bureau de l'état civil*, on établit son acte de naissance, avec son nom, son prénom ou ses prénoms, l'heure et l'endroit où il est né. Ces informations sont aussi notées sur le livret de famille* de ses parents. Elles lui permettront d'obtenir une carte d'identité et un passeport quand il en aura besoin.

Avant la naissance, les parents choisissent un **prénom** pour leur enfant. Le **nom de famille** de l'enfant sera le plus souvent celui du père.

Pour ne pas confondre les bébés à la maternité, on met à chacun un petit bracelet sur lequel est écrit son prénom et son **nom de famille**.

Chaque naissance est **inscrite** sur un gros registre, précieusement conservé à la mairie de l'endroit où l'on est né.

Peut-on changer de nom ou de prénom ?

Oui, si l'on a une raison valable pour le faire. Par exemple, si l'on a un nom ridicule ou un prénom étranger, impossible à prononcer en français.

Comment faut-il faire ?

Si l'on a plusieurs prénoms, on peut choisir de se faire appeler par l'un des autres, dans sa vie de tous les jours.

Mais si l'on veut changer de prénom ou de nom pour toujours, il faut adresser une demande au tribunal de sa ville, en expliquant ses raisons. Si elles sont bonnes, la demande sera acceptée.

Pourquoi une femme mariée change-t-elle de nom ?

Une femme peut décider de porter le nom de son mari, mais ce n'est pas une obligation. Par ailleurs, elle conserve son nom de jeune fille sur ses papiers officiels.

La famille

La famille est le premier groupe dont tout être humain fait partie. C'est en famille qu'on commence à découvrir la vie à plusieurs.

La famille est l'unité de base de la société. Les **liens** qui unissent les parents et les enfants sont très forts.

Vivre dans une famille

De la naissance à l'âge adulte, un enfant habite en général avec sa famille* : ses parents, ses frères et sœurs s'il en a. C'est dans sa famille qu'il mène ses premières expériences de la vie à plusieurs. Ses parents lui montrent comment éviter de se mettre en danger. Ils l'aident à devenir autonome, c'est-à-dire à se débrouiller de plus en plus tout seul. Ils lui transmettent aussi leur manière de voir la vie, ce qui est important ou non à leurs yeux.

Depuis toujours et dans tous les pays du monde, les hommes vivent en **famille**, que ce soient des familles nombreuses, élargies aux oncles et aux cousins, ou des familles réduites à un seul parent et un seul enfant.

Des familles différentes

Il y a des familles composées d'un père, d'une mère et de leurs enfants. D'autres où les enfants ne vivent qu'avec un seul de leurs parents, parce que les parents sont séparés, divorcés ou que l'un des deux n'est plus là. Il existe aussi des familles où les enfants vivent avec un de leurs parents, son nouveau conjoint et ses enfants, des demi-frères ou des demi-sœurs. Peu importent ces différences, du moment qu'un enfant a un adulte près de lui pour le protéger et guider ses pas.

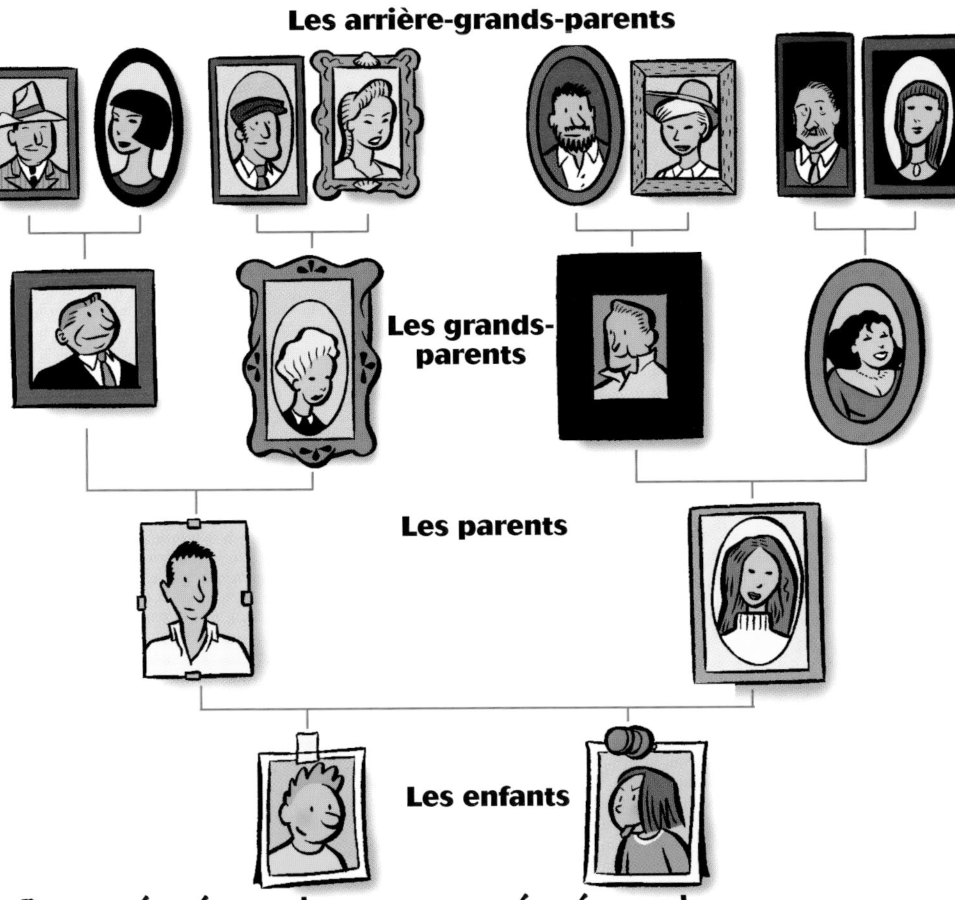

De génération en génération

Les grands-parents et les arrière-grands-parents font aussi partie de la famille, même s'ils ne portent pas tous le même nom. Sans eux, on ne serait pas là : les grands-parents ont donné la vie à nos parents. À chaque génération, nous héritons de certaines particularités physiques et de valeurs* qui nous sont transmises par ceux qui sont venus au monde avant nous.

Des parents responsables

Les parents prennent ensemble toutes les décisions concernant l'éducation de leur enfant. Même s'ils n'habitent pas sous le même toit, ils partagent ce que l'on appelle l'autorité parentale : ils choisissent ensemble l'école qui leur paraît la meilleure, l'heure à laquelle leur enfant doit aller se coucher. Ils sont également responsables de leur enfant : ils doivent le protéger, le nourrir, veiller à sa santé, à son éducation. Si un enfant casse un objet qui n'appartient pas à sa famille, ils doivent le rembourser.

Qu'est-ce qu'un enfant adopté ?
C'est un enfant qui est élevé et aimé par d'autres parents que ses parents de naissance, parce que ceux-ci ne pouvaient pas l'élever. On peut adopter un bébé, mais aussi un enfant plus âgé. Cet enfant prend le nom de famille des parents qui l'ont adopté. Ceux-ci peuvent, s'ils le désirent, lui donner un nouveau prénom.

Comment fait-on pour adopter un enfant ?
Un enfant peut être adopté par une personne seule ou par un couple. Ceux-ci doivent effectuer une demande auprès d'un organisme spécialisé qui va faire une longue enquête pour vérifier si ces personnes sont capables d'être de bons parents.

Un enfant adopté l'est-il pour toujours ?
Oui, pour toujours. Quand on a des parents, c'est pour toute la vie !

La vie en groupe

Plus on grandit, plus notre curiosité pour le monde qui nous entoure grandit aussi. À l'école, au club de sport, au travail, on vit en communauté avec d'autres personnes.

S'adapter les uns aux autres

Les relations* avec les gens de l'extérieur ne ressemblent pas à celles que l'on a en famille. Des liens d'amour nous unissent aux membres de notre famille. Même si des disputes surviennent de temps en temps, on est habitués les uns aux autres. Mais la société* est aussi composée de gens qui ne sont ni nos frères ni nos amis. Ils n'ont pas toujours la même façon de vivre que nous. Il faut du temps et de la patience pour les connaître. Vivre en société, c'est apprendre à se comporter avec toutes sortes de personnes, dans toutes sortes de situations.

On apprend beaucoup de choses à **l'école**, mais aussi à vivre avec des enfants différents.

Travailler à plusieurs permet de mettre en commun ses connaissances et de réaliser des choses qu'on ne pourrait pas faire tout seul. Travailler permet, certes, de gagner de l'argent, mais aussi d'échanger des idées avec d'autres personnes.

La vie à plusieurs

Beaucoup de nos activités se passent à plusieurs. Nous jouons, nous travaillons souvent avec d'autres personnes. Dès l'entrée en maternelle, on découvre une société dont on va faire partie longtemps : l'école ! Le centre de loisirs, la colonie de vacances ou le club de sport en sont d'autres. On les appelle « sociétés » parce que ce sont des groupes de personnes organisées de manière à ce qu'elles aient des activités communes. L'endroit où travaillent les parents constitue une autre société, toute petite s'ils tiennent un restaurant, très grande s'ils travaillent dans un hôpital ou une usine.

En dehors du travail ou de l'école, les gens aiment se retrouver pour pratiquer des **activités** ensemble. Jouer, rire, discuter, c'est enrichissant et ça procure du bien-être.

? Pourquoi les enfants sont-ils obligés d'aller à l'école ?

Parce que l'école est obligatoire pour tous les enfants à partir de 6 ans et jusqu'à 16 ans. C'est la loi.

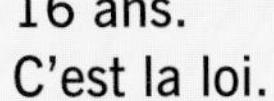

Beaucoup d'enfants vont à l'école dès la maternelle, à partir de 3 ans.

Pourquoi l'école est-elle obligatoire ?

Grâce à l'école obligatoire, tous les enfants qui habitent en France peuvent bénéficier d'une instruction quels que soient le revenu de leurs parents ou l'instruction que leurs parents ont reçue. L'école obligatoire est aussi une protection pour un enfant.

Quelle protection ?

Comme l'école est obligatoire, on ne peut pas obliger un enfant à travailler, dans le cadre de sa famille par exemple.

Dans la ville

En dehors de leur famille et des petits groupes qu'ils fréquentent, les êtres humains ont des relations avec de nombreuses personnes dans leur rue, dans leur ville.

Des relations nombreuses

Il y a les gens que l'on croise dans la rue, ceux que l'on rencontre dans les magasins. Nous vivons au milieu de nombreuses personnes. Certaines sont des personnes que l'on voit régulièrement. D'autres nous sont complètement inconnues. Nous entretenons avec toutes ces personnes toutes sortes de relations*, d'échanges.

On a besoin des autres

Si les êtres humains se sont regroupés dans des villages et des villes, c'est pour pouvoir vivre et travailler plus facilement ensemble. Les hommes ont besoin les uns des autres pour s'entraider, travailler ensemble mais aussi, et peut-être même surtout, pour échanger, partager leurs découvertes, leurs émotions, leurs idées. Nous avons besoin de communiquer en permanence avec d'autres personnes, de nous sentir entourés, aimés.

On entretient de **multiples relations** avec les autres. On se rend des services, on bavarde, on s'achète du pain, des voitures, des appartements. On a besoin du docteur, des pompiers, etc.

? Est-ce que beaucoup de gens vivent dans les villes?

Oui, environ 8 personnes sur 10 vivent dans des villes qui sont peuplées de plus de 30 000 habitants.

Pourquoi les rues ont-elles des noms ?

Pour que chacun d'entre nous ait une adresse facile à identifier. Si les rues n'avaient pas de nom, les immeubles pas de numéro, le facteur ne saurait pas à qui distribuer son courrier.

Comment ces noms sont-ils choisis ?

C'est le maire de la ville qui décide de donner, à une rue ou à une place, le nom d'un événement important ou de quelqu'un de célèbre qui est mort, pour que l'on s'en souvienne.

Vivre dans un pays

Sur la Terre, les hommes sont regroupés dans des pays. Ils sont tous différents. Chacun a son histoire, ses traditions, sa culture.

Chaque pays a son **drapeau** qui comporte certaines couleurs, certains dessins. Même si des drapeaux se ressemblent, aucun n'est identique à un autre.

Il existe de nombreux pays

Le monde est découpé en près de 200 pays, situés les uns à côté des autres, comme les pièces d'un puzzle géant. Certains, comme la Suisse, ne sont pas très grands. D'autres, comme la Russie, le Canada et la Chine, sont vraiment immenses.

Qu'est-ce qu'un pays ?

Un pays, c'est d'abord un territoire, délimité par des frontières, où des gens vivent ensemble. Les frontières dessinent les contours du pays et lui donnent sa forme. Les habitants d'un pays parlent souvent la même langue. Ils partagent des souvenirs communs, une culture* et sont dirigés par les mêmes personnes.

Dans la plupart des pays, il existe un jour de **fête nationale**. Ce jour-là, personne ne travaille : on danse en souvenir d'un événement de l'histoire qui a transformé la vie du pays.

Les caractéristiques d'un pays

Chaque pays a ses particularités, ses traditions*, ses habitudes alimentaires. Un pays a aussi son hymne national, un chant qui évoque un grand moment de son passé et que les citoyens chantent en chœur aux grandes occasions. Il a son armée, sa monnaie, ses équipes sportives, ses timbres et un symbole* qui le caractérise. Le symbole de la France est le coq gaulois !

Quand on vit dans un pays, on hérite de son **histoire**, de ses idées, de ses habitudes.

Les gens qui vivent en France sont-ils tous français ?

Non, beaucoup d'étrangers vivent et travaillent aussi en France. On les appelle des « immigrés ». Ils viennent de différents pays d'Europe, mais aussi d'Afrique et d'Asie.

Pourquoi des gens décident-ils de vivre dans un autre pays que le leur ?

Souvent, c'est le manque de travail dans leur pays qui pousse certaines personnes à venir travailler en France. Parfois, c'est l'impossibilité d'exprimer librement leurs idées ou de pratiquer leur religion qui les incite à partir.

Ont-ils le droit d'y rester pour toujours ?

En France, un étranger qui a un travail peut rester dans le pays. S'il s'y sent vraiment bien, il peut demander la nationalité* française.

Des personnes importantes de l'histoire du pays sont représentées sur les billets de banque et les pièces de **monnaie**.

Chaque pays possède une **armée** qui est chargée de le défendre en cas de danger.

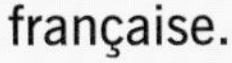

Les **équipes nationales** portent des maillots aux couleurs de leur pays.

Chaque pays a ses **plats traditionnels**. Au petit déjeuner, les Français prennent du pain ou des croissants avec du café. Les Anglais préfèrent les œufs au bacon avec du thé.

Une Terre pour tous

La population de la Terre ne cesse d'augmenter. Et sa grande diversité n'empêche ni les ressemblances, ni les occasions de se rencontrer.

6 milliards d'hommes

Les hommes habitent presque partout sur la Terre. Les uns vivent dans des cases en paille, d'autres dans des immeubles. Certains mangent assis par terre, d'autres sur une table basse ; certains mangent avec des baguettes, d'autres avec des couteaux et des fourchettes. Quelques populations sont nomades : elles vivent sous des tentes et se déplacent souvent. Mais la plupart des hommes sont sédentaires* et la moitié d'entre eux vivent dans des villes.

Il y a de plus en plus de **monde** sur la Terre. Et nous avons de plus en plus de relations* avec les hommes du monde entier.

Une seule planète pour vivre

Les habitants de la Terre n'ont pas tous la même couleur de peau, ils ne parlent pas la même langue, ils n'écrivent pas de la même manière, ils ne pratiquent pas les mêmes religions... mais ils ont en commun d'être tous des êtres humains et d'habiter la même planète, la Terre, la seule planète où il est possible de vivre. C'est pourquoi il est important de la protéger. Chacun est responsable de l'avenir de la planète. L'air que nous respirons, les océans, n'ont pas de frontières. Si l'air ou la mer sont salis, tout le monde en souffre.

Un monde d'échanges

Les hommes des différents pays ont toujours cherché à avoir des échanges les uns avec les autres. C'est grâce à cela que nous mangeons en France du chocolat et des bananes venus de pays lointains. Bien sûr, parfois il y a des guerres, quand les hommes n'arrivent pas à s'entendre. Mais, de plus en plus, grâce aux voyages, à la musique, au sport, aux échanges de marchandises, à Internet, la communication se fait plus facilement entre les différentes populations.

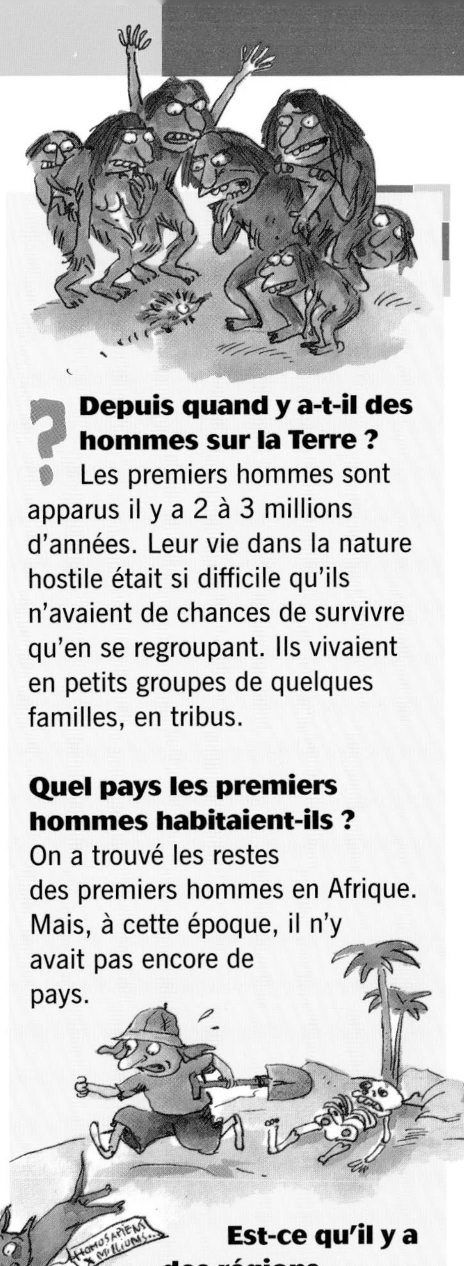

Depuis quand y a-t-il des hommes sur la Terre ?
Les premiers hommes sont apparus il y a 2 à 3 millions d'années. Leur vie dans la nature hostile était si difficile qu'ils n'avaient de chances de survivre qu'en se regroupant. Ils vivaient en petits groupes de quelques familles, en tribus.

Quel pays les premiers hommes habitaient-ils ?
On a trouvé les restes des premiers hommes en Afrique. Mais, à cette époque, il n'y avait pas encore de pays.

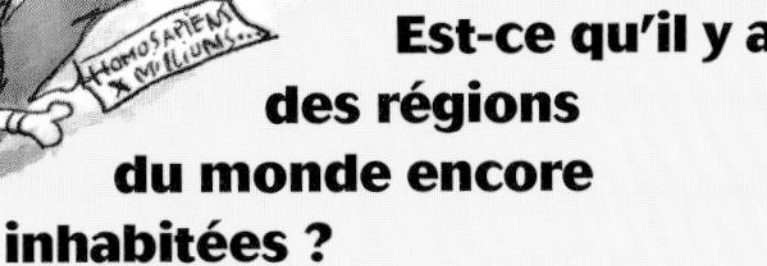

Est-ce qu'il y a des régions du monde encore inhabitées ?
Oui, les régions particulièrement inhospitalières ou très isolées, comme l'intérieur des déserts, les petits îlots perdus au milieu de l'océan Pacifique ou le continent antarctique.

Les carnavals

Lors des carnavals, les gens se déguisent, portent des masques, s'amusent. Ces quelques jours de fête créent une rupture avec la vie quotidienne.

Le **carnaval de Venise** est le plus ancien des carnavals italiens. Tous les participants portent des masques et des costumes somptueux.

Le **carnaval** est la fête la plus populaire des **Antilles.** Des bals et des défilés dansants s'y déroulent pendant 4 jours.

Lors du **carnaval de Bâle**, les participants jouent uniquement du fifre, une sorte de petite flûte, et du tambour.

Beaucoup de carnavals remontent au Moyen Âge où ils étaient organisés avant la période de jeûne du carême. Le costume du **diable** est resté populaire depuis le Moyen Âge.

Les fêtes

Partout dans le monde, les fêtes sont l'occasion de partager des moments extraordinaires avec d'autres.

Les **événements importants** de la vie, comme la naissance d'un enfant, le mariage, sont l'occasion d'organiser une fête.

Toutes les religions ont des jours de fête. Le jour de **Yom Kippour**, les juifs demandent pardon à leur Dieu pour leurs mauvaises actions.

La plupart des pays ont une fête nationale. Le **4 Juillet**, fête nationale américaine, est l'anniversaire de l'indépendance de ce pays.

En Suède, lors de **la nuit de la Saint-Jean**, le 21 juin, on célèbre le retour de l'été, autour de grands feux de joie.

La politesse

Les règles de politesse servent à montrer aux autres qu'on tient compte d'eux et qu'on les respecte.

Ne pas couper la parole à quelqu'un, c'est accorder de l'intérêt à ce qu'il dit.

Attendre que tout le monde soit servi pour commencer à manger, c'est une manière de dire aux autres qu'on mange en leur compagnie.

Ne pas dépasser dans une file d'attente, c'est considérer qu'on n'a pas plus de droits que les autres.

Dire bonjour à quelqu'un, c'est lui signifier qu'il existe.

Le **temple d'Angkor**, au Cambodge.

Merveilles du monde

Plus de 500 monuments et sites naturels du monde bénéficient d'une protection particulière. On considère qu'il faut les préserver au nom de l'humanité toute entière.

La **grande muraille de Chine**.

Des lois pour tous

Les hommes ont défini des règles : ce sont des lois.

Chaque pays a ses propres lois.

Quelqu'un qui n'a pas respecté la loi est jugé par un tribunal.

Les règles du jeu

Depuis toujours, les hommes ont fixé des règles pour mieux vivre ensemble. Elles concernent tous les domaines de la vie collective.

Quand chacun fait ce qu'il veut, c'est la loi du plus fort qui gagne et le **désordre s'installe**.

Il faut des règles

Si chacun faisait n'importe quoi, uniquement ce qui lui fait envie sans tenir compte des autres, sans règles, c'est la loi du plus fort qui gagnerait. Par exemple, certains feraient travailler les autres sans les payer. Les voitures rouleraient tantôt à droite, tantôt à gauche et il y aurait encore plus d'accidents. C'est pourquoi les hommes ont senti depuis très longtemps le besoin de fixer des règles, pour que la vie à plusieurs ne ressemble pas à un immense désordre.

Ces règles sont des lois

Les règles qui organisent la vie en société s'appellent des lois*. Les lois sont des textes qui énoncent ce qu'il est permis et ce qu'il est interdit de faire. Tous les gens qui vivent dans un pays doivent obligatoirement respecter les lois de ce pays. Par exemple, dans la rue ou sur la route, on doit obéir aux règles du code de la route.

Le respect du code de la route permet à tous de circuler en **sécurité**.

Plusieurs sortes de lois

Les lois sont souvent réunies dans des livres appelés « codes* ». Elles s'appliquent à tous les domaines de la vie courante : le travail, la famille, la construction, le commerce, la circulation automobile, etc. Par exemple, le code de la route oblige les automobilistes à attacher leurs ceintures de sécurité ; le code du travail interdit d'employer des enfants.

Comment fait-on pour connaître les lois ?
Il suffit parfois d'ouvrir les yeux ! Affichettes, panneaux d'affichage ou de signalisation, indiquent à tous ce qu'il faut faire ou ne pas faire.
Il s'agit soit de textes écrits, soit de petits dessins.

Peut-on faire sa propre loi ?
Non ! Lorsque les adultes disent que, « chez eux, ils font la loi », c'est une façon de parler : les adultes peuvent instaurer des règles qui leur paraissent bonnes pour leurs enfants, comme aller se coucher à 9 heures ou ne pas regarder la télévision en semaine, mais ils ne peuvent pas faire tout ce qu'ils veulent quand ils sont chez eux.

Qu'est-ce qu'ils n'ont pas le droit de faire ?
Par exemple, une loi oblige tous les adultes à protéger les enfants. C'est pourquoi personne, pas même les parents, n'a le droit de blesser un enfant, ni de lui faire commettre des actes dangereux.

Les droits et les devoirs

Les lois donnent à tous les habitants d'un pays des droits et des libertés, mais aussi des devoirs.

Les droits

La loi* française garantit un certain nombre de droits à tous les gens qui habitent sur le territoire français.
Le droit d'avoir une religion et de la pratiquer, de se marier et d'avoir autant d'enfants que l'on désire.
La loi garantit également l'égalité de ces droits pour tous les citoyens* : la loi est la même pour tous, que l'on soit riche ou pauvre, homme ou femme, jeune ou vieux.

Chacun à le droit de posséder des biens à soi, d'être **propriétaire**.

Tous les enfants ont **droit à l'instruction**. En France, l'école est gratuite, laïque* et obligatoire, pour donner à tous les enfants les mêmes chances.

Tout le monde a le droit d'exprimer ce qu'il pense. Ce droit s'appelle la « **liberté d'expression** ».

Chacun a le droit de se déplacer librement, de **quitter son pays et d'y revenir** quand il veut.

Les gens qui travaillent ont le droit de prendre un certain nombre de jours de **repos** et de vacances.

Les devoirs

Les droits de chacun ont toujours une limite : le respect des droits des autres. Tout le monde a le devoir de respecter la liberté d'autrui, mais aussi de lui porter assistance.
On a tous aussi des obligations envers la communauté* dans laquelle on vit. On doit respecter les lois, payer ses impôts*, accomplir son devoir militaire en cas de guerre.

Toutes les personnes ont le devoir de **respecter la loi**. Par exemple, les parents sont obligés d'envoyer leurs enfants à l'école dès 6 ans.

Chacun a le devoir de participer à la **défense** de son pays quand il est menacé.

Chacun a le devoir de **s'informer** pour connaître les lois.

Pour contribuer à faire fonctionner les écoles, les hôpitaux, les routes, chacun a le devoir de déclarer ses revenus et de **payer des impôts**.

On a le devoir de venir en **aide** aux personnes en danger, à celles qui sont maltraitées ou démunies.

Est-ce que les enfants ont des droits ?
Oui. Les enfants sont des personnes comme les autres. En 1989, de nombreux pays ont signé un document s'engageant à protéger les enfants qui vivent sur leur territoire : la Convention internationale des droits de l'enfant.

Est-ce que tous les pays se sont mis d'accord ?
La plupart des pays ont signé cette convention. Les États-Unis ne l'ont pas signée parce que plusieurs États américains refusaient d'abolir la peine de mort pour les mineurs.

Quels droits cette convention accorde-t-elle aux enfants ?
Ils ont le droit d'être soignés quand ils sont malades, d'avoir ce qu'il faut à manger, d'aller à l'école, de vivre en sécurité et d'être protégés s'ils sont maltraités.

Qui fait les lois ?

Certaines personnes sont chargées de réfléchir à de nouvelles lois et de les voter. Ce sont les députés.

Les gens qui nous représentent

Si tous les citoyens* d'un pays devaient se réunir chaque fois qu'il faut décider d'une loi*, ce serait long et vite la pagaille ! C'est pourquoi les citoyens élisent des députés* qui sont chargés de les représenter. En France, les députés se réunissent neuf mois par an à l'Assemblée nationale*, à Paris. Ensemble, ils réfléchissent à chaque projet de nouvelle loi, pour décider de la voter* ou non.

Comment se fait une loi

Chaque fois qu'il y a un problème de société* important, il faut inventer une nouvelle loi pour le résoudre. Entre le moment où un projet de loi est fa[it] et celui où la loi est votée par les députés, il se passe plusieurs mois. Une fois votée, la loi doit être signée par le président de la République*.

Beaucoup de gens aiment fumer, mais c'est dangereux de respirer de la fumée, en particulier pour les enfants et les malades. Il y a donc un **problème** dans les lieux publics* comme les restaurants.

Conscient du problème, le **ministre*** de la Santé a préparé un dossier. Sa solution : il faut voter une loi pour protéger les non-fumeurs.

Quelques députés, réunis en **commission**, étudient le projet de loi : interdire à tout le monde de fumer dans les lieux publics. Certains proposent quelques modifications comme la création d'espaces isolés réservés aux fumeurs.

Le ministre de la Santé vient défendre son projet de loi devant les **députés**. Les députés discutent. Finalement, la loi est votée.

La loi est appliquée : un **panneau** indique clairement aux clients du restaurant qu'il est interdit de fumer.

? Comment devient-on député ?
Pour être député, il faut avoir au moins 23 ans et avoir été élu par les citoyens d'un département. Plus on compte d'habitants dans un département, plus les députés élus sont nombreux. Il y a un peu plus de 500 députés en France. Ils sont élus* pour 5 ans.

En quoi consiste le travail d'un député ?
Le député partage son temps entre son département et Paris. Dans son département, il a un bureau où il s'informe des problèmes des habitants de sa région. À Paris, il travaille dans son bureau de l'Assemblée nationale.

Est-ce que les femmes peuvent être députées ?
Oui, bien sûr, du moment qu'elles ont été élues ! Mais il y a encore beaucoup moins de femmes députées que d'hommes.

Appliquer la loi

Dès que les lois sont votées, il faut les faire appliquer : c'est le rôle des ministres et de leurs ministères. Les policiers sont chargés de faire respecter les lois.

Des policiers **constatent un cambriolage**. Ils dressent la liste des objets volés et relèvent des empreintes.

Un policier **arrête un voleur**. Il va le conduire au commissariat avant de le confier à la justice.

Un automobiliste a commis un excès de vitesse. Des policiers l'arrêtent et rédigent une **contravention**. Ils vérifient que l'automobiliste n'a pas bu d'alcool en le faisant souffler dans un ballon.

Les ministères au travail

Faire appliquer une loi*, ce n'est pas si simple. En effet, les lois ne précisent pas ce qu'il faut faire dans les détails. Par exemple, pour faire appliquer la loi d'interdiction de fumer dans les lieux publics*, il faut informer tous les responsables de lieux publics, décider quels panneaux ils doivent installer et où ils doivent les accrocher. L'application des lois, c'est l'affaire des ministres* et de toutes les personnes qui travaillent dans les ministères.

Le rôle de la police

Les policiers veillent au respect de la loi. Pour cela, ils interviennent quand des personnes commettent des infractions* à la loi. Ils constatent ces infractions, délivrent des amendes, rédigent des procès-verbaux*. Ils font aussi des enquêtes et arrêtent les voleurs ou les assassins. Les policiers sont également chargés d'assurer la sécurité des personnes : ils règlent la circulation, ils portent secours aux gens en difficulté...

Quelqu'un se fait agresser. Un policier intervient pour lui **porter secours**.

Un officier de police fait une **enquête**. Il recherche des indices qui permettront d'identifier le coupable.

Des gens font la fête, ils empêchent leurs voisins de dormir. La police interviendra pour leur demander de cesser ce **tapage nocturne**.

Les policiers doivent obéir aux lois

Les policiers ont certains droits que tout le monde n'a pas, comme celui de porter une arme. Mais ils ne font pas tout ce qu'ils veulent. Leurs droits sont limités par des lois. Le fait d'être policiers ne leur donne pas le droit d'entrer dans une maison sans autorisation ou d'avoir des gestes violents. Si un policier ne respecte pas la loi, la police des polices mènera une enquête et le fera punir. Il passera aussi devant la justice.

? Comment devient-on policier ?
Pour entrer dans la police, il faut avoir entre 17 et 28 ans, mesurer au moins 1,71 m pour les hommes et 1,63 m pour les femmes, avoir un certain niveau d'études et passer un examen avec des épreuves écrites et sportives.

Les CRS sont-ils aussi des policiers ?
Oui, les CRS, ou compagnies républicaines de sécurité, font partie de la police nationale, comme les gardiens de la paix. En revanche, les gendarmes sont des militaires.

Les policiers sont-ils toujours armés ?
Oui, mais uniquement quand ils font leur travail de policier. Pour être bons tireurs, ils doivent s'entraîner régulièrement en visant des cibles en carton.

La justice

Personne n'a le droit de se faire soi-même justice. En cas de conflit entre des personnes ou si quelqu'un n'a pas respecté la loi, les juges sont là pour rendre la justice selon la loi.

En cour d'assises, 9 **jurés** et 3 **juges** rendent leur verdict. Aux États-Unis, ils sont 12 jurés et 1 seul juge

Le **procureur** réclame la peine qu'il estime la plus juste.

Les conflits entre les personnes sont réglés par les tribunaux civils.

Les jugements de **divorce** sont rendus par un tribunal civil appelé « tribunal d'instance ».

Que fait la justice ?

La justice est chargée de régler pacifiquement, selon la loi, les conflits entre les personnes, comme les divorces, les désaccords entre voisins, mais aussi de sanctionner les comportements interdits par la loi, comme les agressions, les vols, les crimes... Quand quelqu'un est accusé d'avoir commis une faute, la justice* juge si cette personne est coupable, la sanctionne et fait en sorte que les victimes, s'il y en a, soient dédommagées.

Les fautes sont jugées par les tribunaux pénaux. Il existe trois types de fautes : les contraventions (infraction au code de la route, dégradation des lieux publics), les délits (vol, coups et blessures) et les crimes (assassinat, rapt).

Les conflits entre **propriétaires** sont aussi jugés par un tribunal d'instance.

Ne pas attacher sa ceinture de sécurité est une **contravention**. Elle relève du tribunal de police.

Le vol est un **délit**. Il est jugé par un tribunal correctionnel.

Le **crime** est l'infraction la plus grave : il est jugé en cour d'assises*.

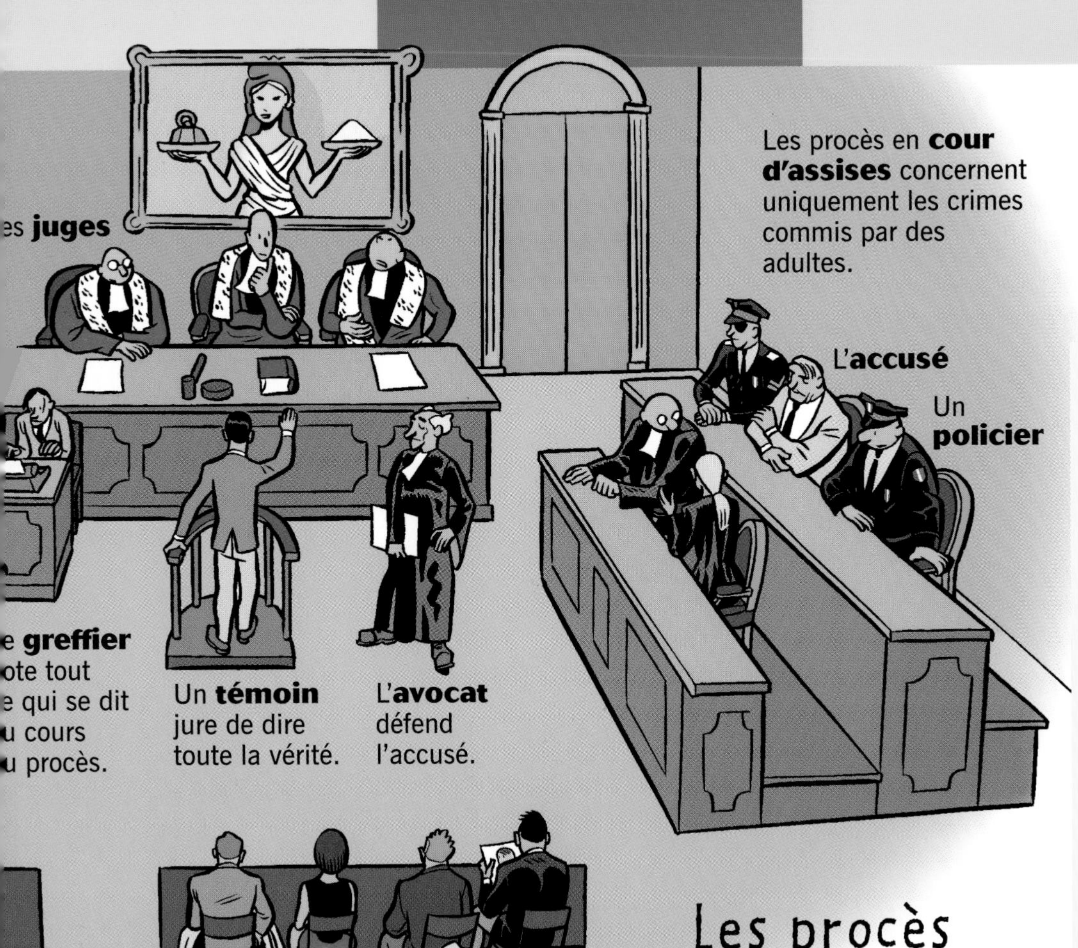

Les principes de la justice

Des règles ont été instaurées pour que tous les citoyens* soient égaux devant la justice. Personne ne doit être considéré comme coupable avant d'avoir été jugé. Une personne mise en examen doit toujours être défendue par un avocat. Les juges ne peuvent pas punir les coupables comme bon leur semble : ils appliquent les sanctions prévues par la loi. Tout le monde peut assister à un procès, sauf dans les cas exceptionnels.

Les procès

Les procès* ont lieu au tribunal, en présence des magistrats*, les juges et le procureur, qui représentent la justice. Les juges cherchent à connaître la vérité avant de rendre leur jugement.
Ils portent de grandes robes qui donnent de la solennité au procès.
Le procureur parle au nom de l'État*.
L'avocat défend l'accusé.
Des témoins viennent à la barre dire ce qu'ils savent des faits.

? Est-ce qu'il existe des procès pour les enfants ?
Oui, mais uniquement pour les délits très graves et les crimes. C'est un tribunal pour enfants qui décidera de leurs condamnations.

Les enfants peuvent-ils aller en prison ?
Jamais, s'ils ont moins de 13 ans. Au-delà de 16 ans, c'est possible. Mais, sauf dans les cas très graves, on essaiera de ne pas les y laisser trop longtemps. Ils sont toujours installés dans une partie de la prison réservée aux mineurs.

Où vont alors ceux qui ont commis des délits moins graves ?
Soit ils sont renvoyés dans leurs familles, qui s'engagent à bien les surveiller.
Soit ils sont placés dans des centres spécialisés où des éducateurs vont les aider à mieux se comporter pour qu'ils ne recommencent plus.

Les lois évoluent

D'un pays à l'autre, d'une époque à une autre, les lois ne sont pas toujours les mêmes. Elles s'adaptent, au fil du temps, à l'évolution des idées et de la vie du pays.

Les lois correspondent à des valeurs

Les lois* ne sont pas des règles sorties de nulle part. Elles correspondent aux habitudes, au niveau de richesse, aux valeurs* d'une société. Par exemple, il y a 150 ans, il semblait normal de faire travailler les enfants dans les usines et de les payer très peu. Les enfants pauvres n'allaient pas à l'école.

Il y a un peu plus d'un siècle, l'école n'était pas obligatoire et le travail des enfants n'était pas interdit. Les **enfants pauvres travaillaient** dans des usines pour gagner un peu d'argent.

La loi est différente selon les époques

Les lois ne sont pas décidées une fois pour toutes. Quand une loi n'est plus adaptée, il faut en changer. C'est grâce à ces changements que, un jour, l'école est devenue obligatoire pour tous les enfants, que les femmes ont obtenu le droit de voter* comme les hommes et que les salariés* ne doivent pas travailler plus de 35 heures par semaine.

Les enfants des familles riches suivaient un **enseignement à la maison**, avec un professeur particulier appelé « précepteur ».

En France, aujourd'hui, **l'école est obligatoire** jusqu'à 16 ans. Les garçons et les filles fréquentent les mêmes écoles.

La loi est différente selon les pays

Les lois ne sont pas identiques d'un pays à l'autre, même si l'on retrouve partout certaines règles indispensables à la vie en commun, comme l'interdiction de voler ou de tuer. Dans beaucoup de pays, par exemple, les femmes n'ont pas les mêmes droits que les hommes. Beaucoup de petites filles ne vont pas à l'école : ainsi, sur 10 enfants au travail dans le monde, 6 sont des filles.

Dans le monde, des millions d'enfants ne vont toujours pas à l'école. **250 millions** travaillent.

Il y a 40 ans, l'école n'était obligatoire que jusqu'à 14 ans et **les écoles n'étaient pas mixtes**.

Dans certains pays, l'école n'est obligatoire que pour les jeunes enfants. Vers 9 ou 10 ans, les enfants, surtout **les filles**, ne fréquentent plus l'école.

Est-ce que les lois changent souvent ?
Chaque année, une centaine de lois sont étudiées et votées par les députés.

Quelles sortes de lois sont votées ?
Chaque année, les députés votent une loi qui fixe les impôts* à payer et répartit les dépenses de l'État* par ministère. Ils votent aussi toutes sortes de lois. Par exemple, des lois sur la durée du travail, le contrôle du dopage* dans le sport, etc.

Quelles sont les lois qui vont changer ?
Actuellement, on étudie la possibilité de permettre aux étrangers vivant en France de voter.

Les justiciers du cinéma

À l'origine, Zorro et Robin des Bois sont des personnages de roman. Superman, Spiderman et Batman sont des héros de BD. Ils sont tous des justiciers qui se battent sans cesse pour que la justice triomphe.

Robin des bois

L'archer infaillible

Robin des Bois est un héros légendaire du Moyen Âge anglais. Il vit dans la forêt de Sherwood, entouré de fidèles amis, parmi lesquels Petit Jean, frère Tuck et la très belle Marianne, dont il est amoureux. Robin des Bois est inlassablement poursuivi par l'ignoble shérif de Nottingham et son bras droit Guy de Gisborne, car il vole l'or des impôts pour le donner aux pauvres.

Robin

Batman

Superman
L'extraterrestre qui vole

Superman vient de la planète Krypton. Il est doté de pouvoirs surnaturels. Journaliste dans sa vie quotidienne, il peut se transformer rapidement pour combattre les criminels.

Batman
L'homme chauve-souris

À l'âge de 10 ans, Batman a vu ses parents assassinés sous ses yeux. Depuis, il lutte contre le mal, déguisé en chauve-souris. Il n'a aucun pouvoir surnaturel, mais il est aidé de son fidèle Robin. Dans *Batman et Robin*, il est aussi aidé de Batgirl.

Batgirl

Zorro
Le cavalier masqué

Il court vers l'aventure pour défendre les victimes de l'injustice ; son nom, il le signe à la pointe de l'épée, d'un Z qui veut dire Zorro.

Spiderman
L'homme-araignée

D'un coup de poignet, Spiderman jette ses toiles d'araignée. Elles lui permettent de s'attaquer aux plus hauts gratte-ciel, de poursuivre inlassablement ses adversaires et de les emprisonner facilement.

La police

Selon les pays, les policiers portent des uniformes différents : blanc, bleu, vert, avec un casque, une casquette, un béret ou un simple chapeau. Cela permet de les identifier au premier coup d'œil.

Policier à cheval (police montée) à Montréal, Canada.

Aux États-Unis, les policiers du Texas portent toujours un chapeau de cow-boy.

Garde de la police montée à Ontario, Canada.

Les policiers anglais sont appelés « bobbies ».

Du haut de son dromadaire, ce policier surveille les fameuses pyramides d'Égypte.

Les pompiers

De nuit comme de jour, tout au long de l'année, les pompiers combattent les incendies et nous viennent en aide : ce sont nos héros du quotidien.

Les pompiers secourent les personnes mal en point.

Lors des grands incendies, les pompiers du ciel utilisent des canadairs.

Ils interviennent aussi lors d'inondations, dans une maison ou dans une ville.

Ils arrivent souvent les premiers sur les lieux des accidents de voiture.

Qui décide ?

Le maire dirige une commune.

Le président de la République est élu par tous les citoyens.

Un pays où les gens choisissent leurs dirigeants est une démocratie.

Le maire

Depuis son bureau de la mairie, appelé aussi hôtel de ville, le maire a fort à faire pour gérer le mieux possible la vie de tous les habitants de sa commune.

Le maire délivre les **permis de construire**, de démolir ou de modifier un bâtiment. Sans ces autorisations, les travaux ne peuvent pas se faire.

On habite dans une commune

Nous habitons dans une ville ou un village : une commune*. Toutes les communes ont un nom et correspondent à un territoire précis. En France, il existe 36 000 communes. Elles n'ont pas toutes la même taille, ni le même nombre d'habitants. La plupart sont des villages peuplés de quelques centaines de personnes. Les autres sont des villes où vivent plusieurs dizaines de milliers d'habitants.

Il décide de la construction d'un stade, d'une piscine ou d'une piste de roller, de tous les **équipements** mis à la disposition des habitants.

Le rôle du maire

Tous les six ans, les habitants élisent des conseillers municipaux qui élisent* parmi eux le maire*. Le maire dirige les affaires de la commune. Il est chargé d'assurer la sécurité de la population. Il réalise des projets qui améliorent la vie des habitants et il dirige les employés des services de la mairie comme la bibliothèque ou la crèche. Il est aussi chargé de faire appliquer dans sa commune les nouvelles lois* qui ont été votées par les députés.

Il veille à ce que de l'argent soit aussi consacré aux **œuvres sociales***, par exemple aux maisons qui accueillent les personnes âgées.

Il organise les **transports en commun** pour faciliter les déplacements des citoyens : les bus ou le ramassage scolaire.

Après avoir décidé de la commande d'une nouvelle statue ou de la construction d'une salle des fêtes, il assiste à son **inauguration**.

Le maire célèbre les **mariages**. Les naissances et les décès sont enregistrés à la mairie sur les registres d'état civil*.

L'argent de la commune

Pour fonctionner, une commune a besoin d'argent. Chaque année, les habitants versent des sommes d'argent sous la forme d'impôts. L'État* et le département dont la commune dépend lui versent aussi de l'argent. Ces subventions* sont bien nécessaires, surtout quand la commune a de gros travaux à faire ou qu'elle a subi une catastrophe naturelle.

? Le maire peut-il faire tout ce qu'il veut dans sa commune ?
Oui, dans le respect de la loi du pays. Mais, souvent, un maire ne peut pas faire tout ce qu'il voudrait par manque d'argent. Surtout s'il dirige une petite commune à la campagne, avec peu d'habitants.

Pourquoi porte-t-il une écharpe tricolore ?
Lors des cérémonies officielles, comme les mariages, le maire porte toujours une écharpe aux couleurs du drapeau français. C'est pour montrer qu'il est le représentant de l'État dans sa commune.

Pourquoi y a-t-il un buste de femme à la mairie ?
Cette femme, c'est Marianne, le symbole de la République française. Elle trône dans toutes les mairies à côté du portrait du président de la République. Les maires choisissent quelle femme, belle et célèbre, va servir de modèle à cette sculpture.

Le président de la République

Pour s'occuper des affaires de la France, le président de la République travaille avec des hommes et des femmes qui font partie du gouvernement.

Le président dirige le pays

Le président de la République* est le chef de l'État*. Il est élu* par tous les citoyens français. Une partie de ses activités se passe à Paris où il dirige les affaires du pays avec le Premier ministre et ses conseillers. Une autre consiste à voyager pour représenter la France dans le monde. Il dirige la diplomatie, c'est-à-dire les relations de la France avec les pays étrangers. Pour l'aider, il nomme des ambassadeurs*. Il a aussi le pouvoir de gracier* certains condamnés.

Chaque mercredi matin, le président de la République préside le **conseil des ministres***. Cette réunion permet à tous les membres du gouvernement* de travailler ensemble.

Comment fait-on pour être élu président de la République ?
Pour être candidat, il faut avoir au moins 23 ans, ne pas avoir été condamné par la justice* et avoir recueilli 500 signatures auprès d'élus de différents départements.

Est-ce qu'une femme peut être élue?
Bien sûr, mais en France, cela n'est pas encore arrivé. Plusieurs femmes ont déjà été candidates. Mais elles n'ont été présentées que par des petits partis politiques et elles n'ont pas été élues.

Où habite le président de la République ?
À Paris, au palais de l'Élysée, un petit château qui appartient à l'État. Il a aussi à sa disposition d'autres résidences pour passer ses vacances ou recevoir d'importantes personnalités.

Les différents pouvoirs

Le président de la République et le gouvernement décident des actions à mener et ils font exécuter les lois : c'est le pouvoir exécutif*. Les députés et les sénateurs* étudient et votent les lois : c'est le pouvoir législatif*. Enfin, les magistrats* jugent et sanctionnent ceux qui ne respectent pas la loi : c'est le pouvoir judiciaire*.

Pour éviter que toutes les décisions ne soient prises par un seul dirigeant, les pouvoirs exécutif, législatif et judiciaire appartiennent à **des personnes différentes**.

Les ministres

L'ensemble des ministres forme le gouvernement, qui est dirigé par le Premier ministre. Chaque ministre est responsable d'un domaine particulier de la vie du pays : l'éducation, la santé, les transports, etc. Avec les personnes qui travaillent dans l'administration* de son ministère, il organise l'application des lois* qui concernent son secteur. Il propose aussi de nouvelles lois aux députés.

Ministère de la Justice

Ministère de l'Intérieur

Ministère des Affaires sociales

Ministère de la Défense

Ministère des Transports

Ministère de l'Éducation nationale

Ministère de l'Environnement

Ministère de l'Économie et des Finances

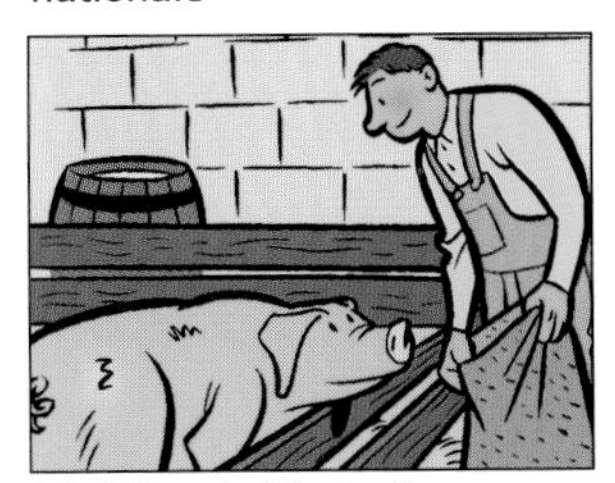
Ministère de l'Agriculture

L'Union européenne

Il y a 50 ans, plusieurs pays d'Europe ont décidé de s'unir pour vivre en paix et devenir plus forts.

15 pays unis

L'Union européenne* est une association* de 15 pays européens. Ces pays prennent des décisions en commun concernant leur agriculture, le commerce avec les autres pays du monde, l'environnement. En 2002, tous ces pays auront la même monnaie.

370 millions de citoyens européens

Chaque pays de l'Union européenne est dirigé par son propre gouvernement*. Celui-ci est libre de mener les actions qu'il veut pour son pays. Il doit simplement tenir compte des décisions prises en commun. Chaque pays conserve ses habitudes de vie, sa langue, son armée. Les 370 millions d'habitants de l'Union européenne sont à la fois citoyens* de leur pays et citoyens européens. Ils peuvent circuler librement sur le territoire de chaque pays et ont un passeport au nom de l'Union européenne.

Les habitants de l'Union européenne participent aux **élections municipales** du pays où ils habitent quelle que soit leur nationalité. Ils votent aussi pour les 626 députés qui vont les représenter au **Parlement européen**.

Les citoyens européens peuvent **circuler librement** d'un pays à un autre : un Français qui passe la frontière pour aller en Allemagne n'a même plus besoin de présenter sa carte d'identité !

Le 1er janvier 2002, il n'y aura plus qu'une seule monnaie appelée **« l'euro »**. Chaque pays aura les mêmes pièces et les mêmes billets. Il ne sera plus nécessaire de changer de l'argent quand on voyage !

Pourquoi l'Europe ?

L'Europe d'aujourd'hui s'est constituée petit à petit. En 1950, elle ne regroupait que 6 pays. Quelques années plus tard, elle en comprenait 9, puis 12, puis 15. Et ce n'est sans doute pas fini ! En se réunissant, ces pays sont devenus plus forts face à des pays immenses comme les États-Unis ou la Russie. C'est la première fois, dans l'histoire du monde, que des pays ont fait cela.

? Est-ce qu'un jour, en Europe, on parlera tous la même langue ?
Non, certainement pas. Il n'est pas question que les pays abandonnent leurs langues. Pour se comprendre, les Européens s'expriment souvent en anglais, qui est la deuxième langue la plus parlée au monde, après le chinois.

Est-ce qu'il y a une fête de l'Europe ?
Non, mais il y a une « Journée de l'Europe », le 9 mai. C'est ce jour-là qu'en 1950, un ministre français, nommé Robert Schuman, a créé la première association entre des pays européens, devenue l'Union européenne d'aujourd'hui.

Pourquoi y a-t-il des étoiles sur le drapeau européen ?
Ces 12 étoiles représentent des peuples qui forment un cercle pour s'unir.
Pourquoi 12 et non 15, comme le nombre de pays ? Parce que le chiffre 12 est le symbole de ce qui est parfait, harmonieux.

9 MAI

La démocratie

Un pays dont les citoyens choisissent librement les hommes et les femmes qui les représentent s'appelle une démocratie.

Le droit de vote

Autrefois, quand la France était une monarchie*, le roi décidait tout et il fallait lui obéir ! Quand il mourait, son fils aîné lui succédait. Aujourd'hui, la France est une démocratie* : les citoyens* ont le droit de choisir les hommes et les femmes qui les dirigent en votant* pour eux. Ces hommes et ces femmes sont élus* pour une certaine durée. À la fin de cette période, si les citoyens ne sont plus d'accord avec ceux qui les dirigent, ils peuvent leur retirer leur pouvoir, en votant pour d'autres candidats.

À partir de 18 ans, toutes les personnes qui ont la nationalité* française ont le droit de voter : c'est le **suffrage universel***.

En France, les citoyens élisent le **président de la République**. Ils élisent aussi les **conseillers municipaux** (qui dirigent leur commune), les **députés** (qui votent les lois), les **députés européens** (qui votent les lois de l'Union européenne).

Tout le monde vote

Pour voter, il faut être français, avoir au moins 18 ans, ne pas avoir été condamné gravement par la justice* et être inscrit sur les listes électorales* de sa mairie. Hommes ou femmes, riches ou pauvres, jeunes ou vieux, tous les citoyens qui remplissent ces conditions ont le droit de voter et chaque vote a la même valeur.
C'est ce que l'on appelle le « principe d'égalité ».

Avoir le choix

Dans une démocratie, les citoyens ont le droit de ne pas être d'accord avec les dirigeants de leur pays. Ils peuvent exprimer librement leurs idées et se regrouper dans des partis politiques qui défendront ces idées. Le jour des élections, chaque électeur vote pour choisir le candidat d'un parti politique* dont les propositions lui semblent les meilleures.

? Pourquoi les adultes se disputent-ils souvent quand ils parlent de politique ?
Parce qu'ils essaient de convaincre les autres que les idées auxquelles ils croient sont les meilleures ! En France, les gens accordent beaucoup d'importance à leurs opinions politiques*.

C'est quoi « la gauche » et « la droite » ?
La gauche regroupe des partis politiques qui pensent que l'État* doit beaucoup intervenir pour réduire les inégalités. La droite regroupe des partis qui pensent que l'État ne doit pas trop intervenir.

Pourquoi parle-t-on de gauche et de droite ?
L'endroit où siègent les députés a la forme d'un demi-cercle. Les députés « de gauche » se situent sur la partie gauche de ce demi-cercle ; les députés « de droite » se situent du côté droit.

Cet homme politique propose de construire de nouvelles **lignes de TGV**.

Celui-ci promet que si l'on vote pour lui, il construira de **nouveaux hôpitaux**.

Cette candidate affirme qu'il vaut mieux d'abord faire des **économies**.

Les élections

Les élections sont précédées d'une campagne électorale. Le jour de l'élection, chaque électeur vote selon des règles très précises.

Comment vote-t-on ?

Quelques mois avant les élections, les candidats expliquent aux citoyens* ce qu'ils proposent de faire une fois qu'ils seront élus*. Le jour de l'élection, chaque électeur vote* pour le candidat dont les idées lui plaisent le plus. Les élections ont toujours lieu le dimanche pour que le plus grand nombre possible de citoyens puissent y participer. À la fin de la journée, les voix de chaque candidat sont comptées. Celui qui a obtenu le plus de voix est élu.

1 L'électeur présente sa carte d'identité et sa **carte d'électeur**. On vérifie si son nom est bien inscrit sur la liste électorale du bureau de vote.

2 L'électeur prend une enveloppe et des **bulletins de vote** : des papiers sur lesquels sont écrits les noms des candidats. Il doit prendre un exemplaire de chaque bulletin, même s'il sait pour qui il va voter.

Pendant la campagne électorale*, les candidats font coller partout des **affiches** avec leur photo et leurs idées.

Les candidats sortent souvent dans la rue pour rencontrer les électeurs. Ils organisent aussi des **meetings*** pour expliquer leur programme.

Ils participent à des **émissions de télévision**. Chaque candidat a le droit à un certain temps de parole à la télévision.

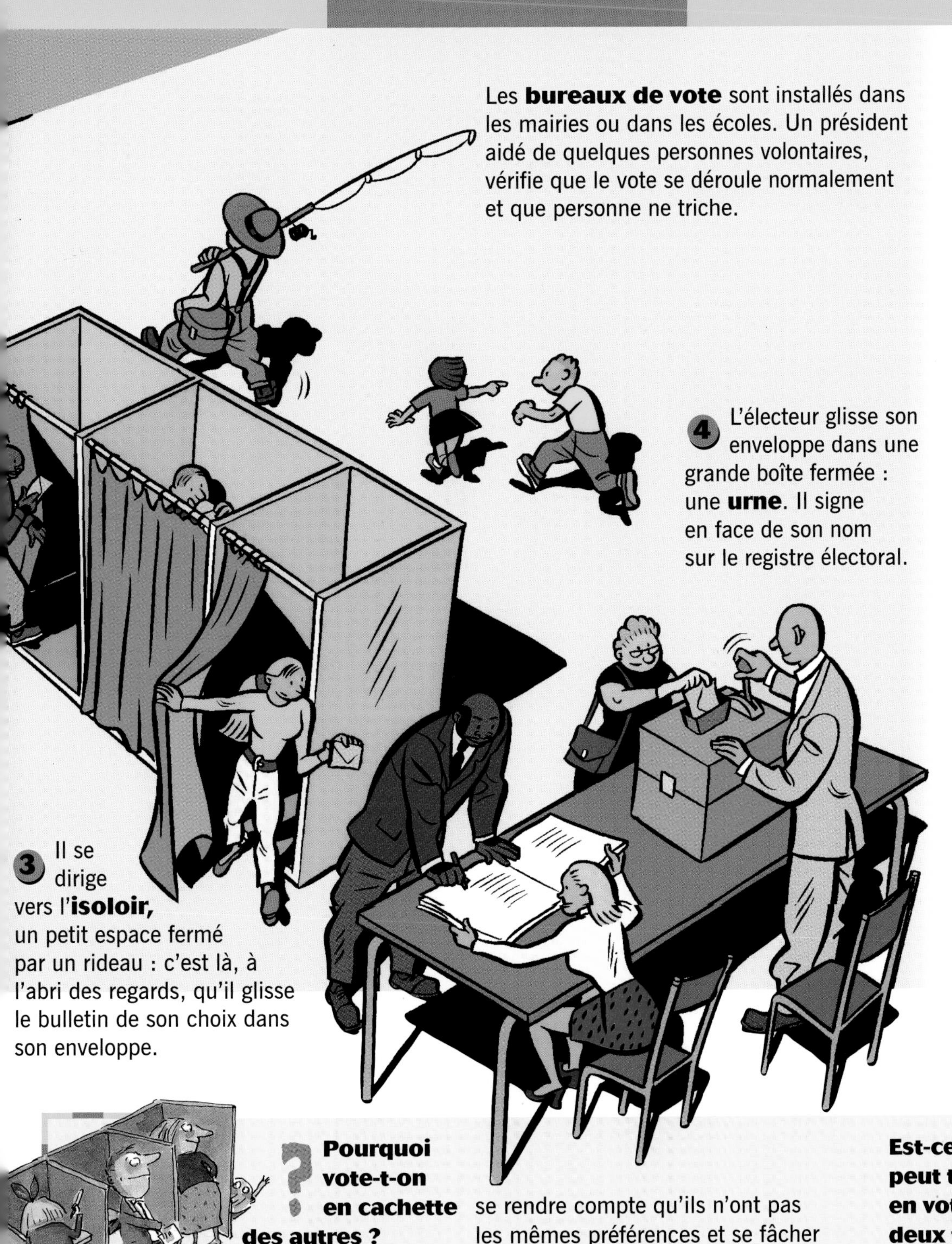

Les **bureaux de vote** sont installés dans les mairies ou dans les écoles. Un président aidé de quelques personnes volontaires, vérifie que le vote se déroule normalement et que personne ne triche.

À la fin de la journée, des personnes volontaires ouvrent toutes les enveloppes contenues dans l'urne. Les bulletins sont triés et soigneusement comptés : c'est le **dépouillement*** du vote.

4 L'électeur glisse son enveloppe dans une grande boîte fermée : une **urne**. Il signe en face de son nom sur le registre électoral.

3 Il se dirige vers l'**isoloir,** un petit espace fermé par un rideau : c'est là, à l'abri des regards, qu'il glisse le bulletin de son choix dans son enveloppe.

Un candidat a obtenu plus de bulletins, plus de voix, que les autres. C'est lui qui est **élu** !

? Pourquoi vote-t-on en cachette des autres ?

Parce que se mettre à l'abri des regards dans un isoloir permet de voter librement.

Pourquoi ?

Si tout se passait sous le regard des autres, il pourrait y avoir des problèmes. Deux voisins pourraient se rendre compte qu'ils n'ont pas les mêmes préférences et se fâcher ou, plus grave, une personne n'oserait pas vraiment voter pour qui elle veut par peur de l'avis des autres.

Est-ce qu'on peut tricher en votant deux fois de suite ?

Non, c'est impossible. Quand un électeur met son bulletin dans l'urne, quelqu'un coche son nom sur un grand registre en vérifiant sa carte d'identité. À moins d'effacer le nom coché, l'électeur ne peut pas voter de nouveau.

D'un pays à l'autre

Même si le nombre des démocraties ne cesse d'augmenter, de nombreux pays sont soumis à des gouvernements autoritaires : des dictatures.

Sous les régimes de dictature, seuls les journaux qui propagent les idées du gouvernement* ont le droit d'être publiés : les autres sont **censurés*** et, parfois, détruits.

Les dictatures

Dans une démocratie*, les citoyens* choisissent librement les gens qui les dirigent. Dans une dictature, il n'y a pas d'élection ou il y a de fausses élections car les gens qui ne sont pas d'accord avec les dirigeants en place n'ont pas le droit de se présenter. Les dictateurs gouvernent sans jamais demander au peuple son avis. Ils utilisent l'armée ou la police pour imposer leur pouvoir. Ils contrôlent la presse, la radio et la télévision pour qu'aucune autre idée que les leurs ne soit diffusée.

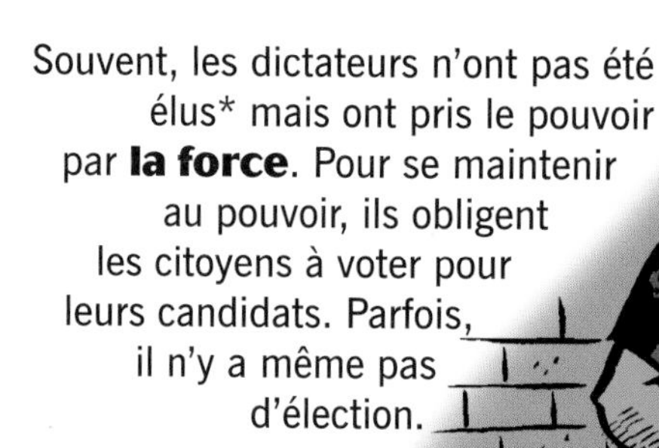

Souvent, les dictateurs n'ont pas été élus* mais ont pris le pouvoir par **la force**. Pour se maintenir au pouvoir, ils obligent les citoyens à voter pour leurs candidats. Parfois, il n'y a même pas d'élection.

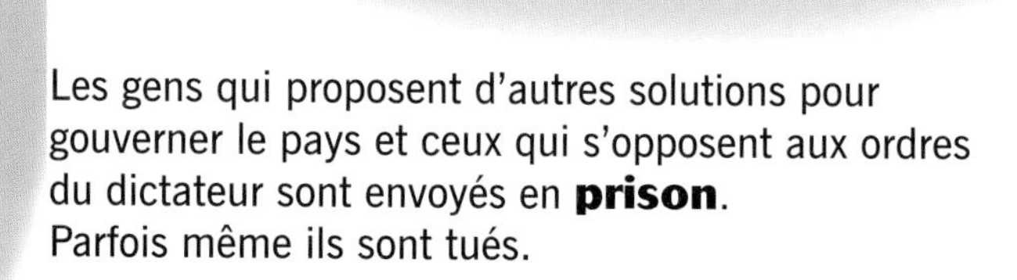

Les gens qui proposent d'autres solutions pour gouverner le pays et ceux qui s'opposent aux ordres du dictateur sont envoyés en **prison**. Parfois même ils sont tués.

Les monarchies

Un pays dirigé par un roi ou une reine est une monarchie*. Quand il détient tout le pouvoir, on parle de monarchie absolue. Mais, aujourd'hui, presque toutes les monarchies sont des démocraties. C'est le cas du Royaume-Uni, une des plus vieilles démocraties du monde : la reine a des pouvoirs très limités. C'est le gouvernement* et le Parlement qui s'occupent des affaires du pays, comme dans toutes les démocraties.

Au Royaume-Uni, la reine Élisabeth n'intervient pas en politique*. Elle participe aux **cérémonies officielles**.

Au XVIIe siècle, Louis XIV était un bel exemple de **monarque absolu** : il décidait tout, ses sujets n'avaient qu'à lui obéir !

Démocratie et dictature dans le monde

De plus en plus de pays deviennent des démocraties, mais il reste encore beaucoup de pays soumis à la dictature. Surtout en Afrique, mais aussi en Amérique du Sud et en Asie. La dictature se rencontre souvent, mais pas seulement, dans les pays pauvres. Pour tenter de s'opposer à ce type de régime, des citoyens de ces pays ou des citoyens des autres pays résistent et se battent pour la démocratie.

Existe-t-il encore beaucoup de pays dirigés par un roi ou une reine ?
Oui, surtout en Europe où 7 pays sont des monarchies : le Royaume-Uni, l'Espagne, la Belgique, les Pays-Bas, la Suède, le Danemark et le Luxembourg. Hors de l'Europe, le Maroc, la Jordanie sont aussi des monarchies.

Un roi et un président, c'est très différent ?
Le roi n'est jamais élu, il hérite son trône d'un membre de sa famille : on dit que la monarchie est héréditaire. Dans les démocraties, les rois ont beaucoup moins de pouvoir qu'un chef de gouvernement.

Est-ce qu'il existe encore des empereurs ?
Le Japon est l'un des rares pays à avoir encore un empereur. Mais il ne dirige pas le pays et il n'a pas vraiment de pouvoir. Il a un peu le même rôle qu'un roi dans une démocratie.

MAGAZINE

L'UNION EUROPÉENNE

15 pays font partie de l'Union européenne. Ils présentent une grande variété de paysages, de maisons, de monuments issus de leur histoire ou de leur culture. Chaque pays a aussi ses fêtes, ses danses, ses costumes traditionnels...

Château de Chenonceaux
France, capitale Paris

Moulins de Hollande
Pays-Bas, capitale Amsterdam

Maisons de l'île de Santorin
Grèce, capitale Athènes

Immeubles de Stockholm
Suède, capitale Stockholm

La vieille ville de Luxembourg
Luxembourg, capitale Luxembourg

Place Navone à Rome
Italie, capitale Rome

Barques multicolores sur la plage
Portugal, capitale Lisbonne

âteau de Neuschwanstein en Bavière
llemagne, capitale Berlin

Vieille ville de Salzbourg
Autriche, capitale Vienne

Maison dans la lande
Irlande, capitale Dublin

Canal de Bruges
Belgique, capitale Bruxelles

Palais de Westminster à Londres
Royaume-Uni, capitale Londres

Danseuses de flamenco
Espagne, capitale Madrid

Enfants en costume traditionnel
Finlande, capitale Helsinki

Statue de la Petite Sirène à Copenhague
Danemark, capitale Copenhague

Rois, tsars, émirs...

Suivant les époques et les pays, différents mots servent à nommer les souverains, qui détiennent le pouvoir suprême.

De nombreux souverains sont des **rois** ou des **reines**.

Les souverains de Russie et de Bulgarie étaient des **tsars**.

Napoléon admirait beaucoup les **empereurs** de la Rome Antique. Il y a deux siècles, lui aussi s'est fait nommer empereur.

Un **émir** est un prince, un chef d'État dans certains pays musulmans.

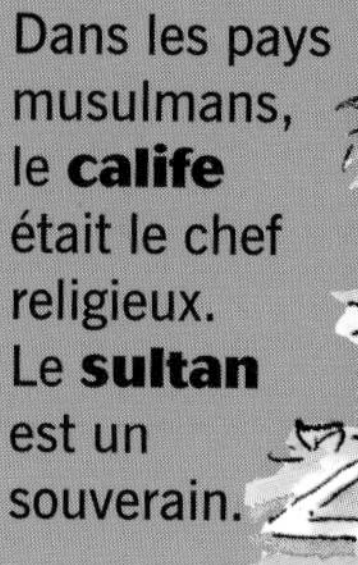

Dans les pays musulmans, le **calife** était le chef religieux. Le **sultan** est un souverain.

Que représente donc ce monument ?

Réponse : Sur ce monument, sont sculptés les visages de quatre présidents importants des États-Unis. Il s'agit de Washington, Jefferson, Roosevelt et Lincoln. Ce monument est situé sur le mont Rushmore (Dakota du Sud, États-Unis).

Les grands problèmes

Le racisme peut mener à la haine et à la violence.

Les inégalités entre les humains sont multiples.

Certains pays du monde sont très pauvres.

Les inégalités

« Les hommes naissent et demeurent libres et égaux en droit », précise l'article premier de la Déclaration des droits de l'homme de 1789. Il reste pourtant beaucoup à faire pour réduire les inégalités.

Quelles inégalités ?

Les inégalités entre les hommes sont multiples. Il y a ceux qui gagnent beaucoup d'argent et ceux qui en ont très peu. Ceux qui vivent dans de très grands appartements et peuvent s'acheter tout ce qu'ils veulent et ceux qui vivent à plusieurs dans une seule pièce. Il y a ceux qui ont un travail et ceux qui n'en ont pas ; ceux qui ont un travail intéressant et ceux qui ont un travail ennuyeux et très fatigant.

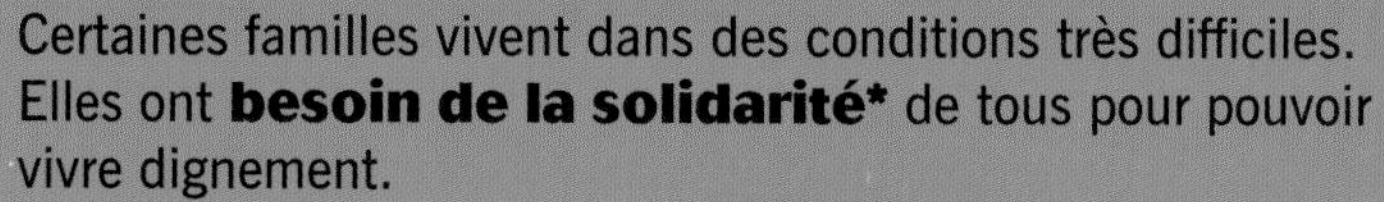

Certaines familles vivent dans des conditions très difficiles. Elles ont **besoin de la solidarité*** de tous pour pouvoir vivre dignement.

L'État verse **une aide** à ceux qui en ont besoin pour chaque rentrée des classes.

L'État verse aux **chômeurs** une partie de leur ancien salaire. Il les aide aussi à trouver un nouveau travail.

L'État verse des **retraites** aux gens qui n'ont plus l'âge de travailler.

Refuser la misère

Certaines personnes qui ont eu trop de malheurs dans leur vie sont parfois dans une situation tragique. Elles n'ont plus de travail depuis longtemps et n'ont pas le minimum de revenu pour vivre et se soigner. Certaines, même, n'ont plus de logement. Elles vivent dans la rue. Ce sont les sans domicile fixe (les SDF). Ils ont besoin de l'aide des autres et de la solidarité de la société*.

Le rôle de l'État

Pour réduire les inégalités entre les citoyens*, l'État* a mis en place différents systèmes d'aide. La Sécurité sociale* permet à chacun de se soigner et de toucher un salaire quand il est malade. L'État verse des aides pour les enfants, des retraites à ceux qui n'ont plus l'âge de travailler ; il verse aussi de l'argent à ceux qui sont au chômage*. Il existe d'autres aides pour ceux qui se trouvent dans des situations difficiles. Mais elles sont encore insuffisantes.

'État aide es familles n leur versant les **allocations**.

L'État rembourse les consultations du **médecin** et les **médicaments**.

? Pourquoi devient-on chômeur ?
On devient chômeur quand on perd son travail. Parce que des machines remplacent le travail des hommes, parce que l'entreprise fait faillite.

Pourquoi certaines personnes disent-elles que les chômeurs sont des paresseux ?
C'est une phrase toute faite et très injuste. Dans la grande majorité des cas, on est au chômage parce qu'on ne trouve pas de travail. Parce qu'on est trop vieux ou trop jeune, ou pas assez formé pour les métiers qui existent aujourd'hui.

N'est-ce pas agréable de ne pas travailler et de recevoir de l'argent ?
Non, car un chômeur se sent souvent inutile. Quand on a un travail, on est fier de ce que l'on fait. Dire : « Je suis coiffeur », ou : « Je travaille dans une usine de voitures », cela signifie qu'on a une place et un rôle à jouer dans la société.

Hommes et femmes

Les hommes et les femmes n'ont pas toujours eu les mêmes droits. Dans notre pays, une vraie égalité entre les sexes reste encore à conquérir. Dans de nombreux pays, les femmes connaissent un sort tragique.

Les femmes en Europe

Pendant très longtemps, les femmes ont eu moins de droits que les hommes. En France, elles n'ont obtenu le droit de vote* qu'en 1944, longtemps après les hommes. Aujourd'hui, les droits des hommes et des femmes sont égaux. Mais, dans la réalité, les femmes sont souvent moins bien payées que les hommes alors qu'elles ont les mêmes diplômes. Elles ont aussi moins de responsabilités dans leur travail et sont plus souvent au chômage*.

Dans les années 70, les femmes organisaient des **manifestations** pour réclamer une plus grande égalité entre les hommes et les femmes. Certaines de ces revendications ne sont toujours pas satisfaites.

Certains métiers sont réservés aux femmes. Les **conditions de travail** sont pénibles et les salaires sont très bas.

Le sort tragique des femmes

Dans certains pays, les femmes n'ont toujours pas les mêmes droits que les hommes. Seuls les hommes ont le droit de s'exprimer en public, d'être éduqués, de faire ce qui leur plaît. Le rôle que les hommes accordent aux femmes est avant tout celui de faire des enfants. Souvent, la volonté de la femme n'est pas prise en compte : son père ou ses frères la marient sans lui demander son avis. Mal aimée, maltraitée, elle n'a pas le droit de demander le divorce. Le mari peut la répudier* et épouser d'autres femmes.

Dans certains pays, les femmes n'ont le droit ni de travailler ni de conduire. Elles sont obligées de sortir dans la rue avec le corps dissimulé sous un **voile épais**.

Est-ce qu'il existe des métiers que les femmes ne peuvent pas faire ?

En théorie, les femmes ont accès aux mêmes métiers que les hommes. Depuis peu, il existe des femmes cosmonautes, pilotes d'avion, etc.

Et dans la réalité ?

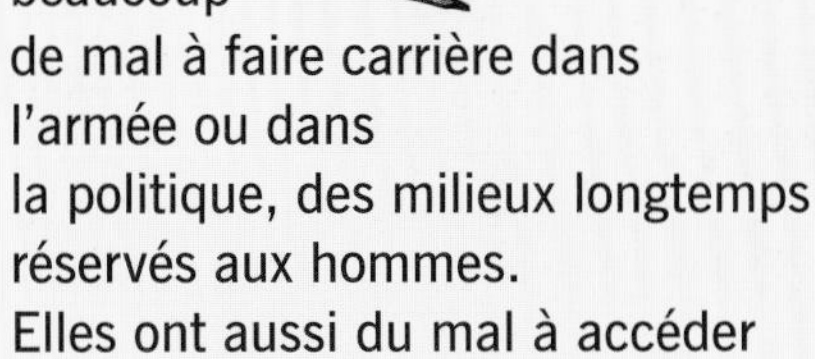

Dans la réalité, les femmes ont encore beaucoup de mal à faire carrière dans l'armée ou dans la politique, des milieux longtemps réservés aux hommes. Elles ont aussi du mal à accéder à des postes de dirigeant dans les grandes entreprises.

Pourquoi ?

Parce que les traditions et les mentalités mettent souvent plus de temps à changer que les lois.

Le racisme

Les personnes racistes rejettent ceux qui leur semblent différents d'elles. Le racisme peut mener à la haine et à la violence.

À cause du racisme, certaines personnes ont du mal à trouver un **emploi** ou un **logement**.

Le rejet et la haine

Être raciste, c'est penser que la « race » à laquelle on appartient est supérieure aux autres « races ». Les personnes racistes pensent que la couleur de la peau donne des qualités aux uns et des défauts aux autres. Le racisme se traduit par le rejet de tout ce qui est différent, par la haine, qui mène parfois à la violence.

Ceux qui ne ressemblent pas à tout le monde sont **contrôlés par la police** plus souvent que les autres.

Le racisme peut mener aux pires **crimes**. Par racisme contre les juifs, l'Allemagne nazie a assassiné 6 millions de personnes pendant la Seconde Guerre mondiale.

Les faux discours

Certains partis politiques* utilisent des arguments racistes pour expliquer des problèmes de société*. Ils prétendent, par exemple, que les étrangers prennent les emplois des Français et qu'il suffirait de les renvoyer chez eux pour résoudre le chômage*. C'est un discours faux car le chômage a d'autres causes et touche tous les pays, même ceux qui accueillent peu d'étrangers. C'est aussi un discours facile, qui leur évite de proposer des solutions.

Parfois, on **refuse l'entrée** dans des lieux publics, comme les boîtes de nuit.

La race humaine

Grâce aux progrès de la science, on sait qu'il existe une seule race, la race humaine. La couleur de la peau est une différence mineure. Il existe en effet plus de différences biologiques* entre certaines personnes qui ont la même couleur de peau qu'entre deux personnes de couleur différente. Malgré ces découvertes, et les crimes commis à cause du racisme, les idées racistes existent toujours dans notre société. C'est pourquoi la loi* punit ceux qui tiennent des propos racistes ou commettent des actes racistes.

Les personnes racistes tiennent des **propos insultants** et parfois même agressent les personnes qu'elles n'aiment pas.

Les différences sont un **enrichissement**. La composition de l'équipe de France de football, victorieuse de la Coupe du monde, en est un bon symbole*.

Pourquoi les gens sont-ils racistes ?
De nombreuses personnes sont racistes parce qu'elles ont peur de la différence. Elles ont souvent peur par ignorance des personnes qui viennent de pays qu'elles ne connaissent pas et qu'elles n'ont pas envie de connaître.

Que faut-il faire lorsque quelqu'un tient des propos racistes ?
Il faut dire qu'on n'est pas d'accord et que tenir des propos racistes, ce n'est pas une opinion, mais un délit puni par la loi.

Quelle punition risque-t-on d'avoir quand on tient des propos racistes ?
La loi punit les discours et les écrits racistes de 1 mois à 1 an de prison et d'une amende de 1 000 francs à 300 000 francs.

Des pays pauvres

La majorité des pays de la planète sont des pays pauvres. Beaucoup de gens n'y mangent pas à leur faim et sont victimes des maladies et des guerres.

La pauvreté

Manque de nourriture, de soins, d'éducation, enfants au travail, voilà quelques-uns des maux qui caractérisent la pauvreté dans les pays du tiers monde*. Beaucoup de ces pays sont des pays du Sud où règne la sécheresse, où l'eau est rare. Lorsqu'il ne pleut pas durant des mois ou des années, la terre s'assèche, le bétail meurt et la famine entraîne la mort de centaines de milliers de personnes, surtout des enfants.

Dans beaucoup de villages d'Afrique, il n'y a pas d'eau courante. Il faut aller tirer de l'eau au **puits**.

La **guerre** est souvent responsable de la famine et des épidémies. Les gens sont obligés de fuir leurs villages et les terres ne sont plus cultivées.

La pauvreté est aggravée par la guerre

La pauvreté est souvent aggravée, et même causée, par les guerres. Elles chassent les populations sur les chemins et les obligent à trouver refuge dans des camps ou dans des régions éloignées de leurs domiciles. Les femmes et les enfants sont les principales victimes de ces conflits.

Est-ce que beaucoup d'enfants travaillent dans le tiers monde ?

Des centaines de millions d'enfants ne vont pas à l'école et travaillent. Parmi eux, plusieurs dizaines de millions sont esclaves.

Qu'est-ce que c'est, un esclave ?

Un esclave est une personne qui est la propriété d'une autre, le maître. Ce maître l'a acheté uniquement pour sa force de travail. L'esclave doit faire ce qu'on lui dit de faire, sans possibilité de résister ou de se défendre, parfois même au risque de sa vie.

Pourquoi des enfants sont-ils esclaves ?

Les enfants sont esclaves dans certains pays à cause de la misère qui y règne. À cause de la guerre, aussi. Et puis c'est facile de faire peur à un enfant. Comme il a peur, il osera moins s'enfuir

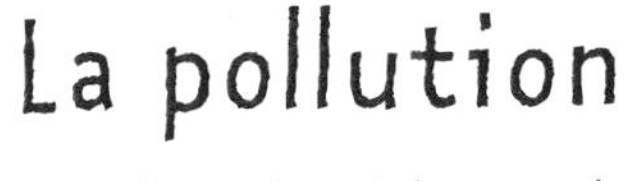

La pollution

L'industrie et les ordures dont on ne sait pas toujours quoi faire entraînent des pollutions* : elles salissent l'air, la mer, la terre, les rivières. Ces pollutions menacent la santé des hommes. Dans les pays pauvres, la pollution est encore plus forte qu'ailleurs. Elle aggrave les problèmes de ces pays.

Agir pour les autres

Agir, c'est avoir envie d'aider, de participer, de lutter pour défendre une cause. Quel que soit le problème, il existe toujours une façon d'agir.

Certaines **associations** construisent des hôpitaux, des écoles, dans les pays pauvres.

Tous ensemble

Agir seul n'est pas la solution la plus efficace. En revanche, à plusieurs, on est beaucoup plus fort. On se donne mutuellement des idées, on discute pour savoir ce qu'il faut faire, on est pris au sérieux. En France, il existe de nombreuses associations*. Elles ont des activités utiles, par exemple distribuer des repas à ceux qui en ont besoin. D'autres s'occupent de la protection de la nature, de l'aide aux pays pauvres ou de la défense des droits de l'homme dans le monde.

Comment agir

On peut donner de l'argent aux associations. On peut aussi leur donner de son temps. Par exemple, Amnesty International est une association qui défend les droits de l'homme dans le monde. Elle demande à ceux qui la soutiennent d'écrire chaque mois à un chef d'État qui emprisonne ceux qui ne sont pas d'accord avec lui. Des millions de gens à travers le monde participent ainsi à une action de solidarité*. Un prisonnier est parfois libéré grâce à ces actions.

Des **concerts de solidarité** permettent de récolter de l'argent pour des associations qui luttent contre la pauvreté dans le monde.

Militer

Le premier pas vers l'action consiste à s'informer. La lecture des journaux permet de connaître les problèmes et de se faire une opinion avant de voter*. Militer, c'est-à-dire devenir membre d'une association ou d'un parti politique*, proposer de nouvelles idées pour résoudre les problèmes, sont les principaux moyens d'agir contre les inégalités.

? Quel métier peut-on faire pour aider ceux qui en ont besoin ?
On peut devenir un médecin sans frontières, aller vacciner des populations et leur apprendre à se soigner. Cela s'appelle de l'aide humanitaire.

Et si l'on n'a pas envie de devenir médecin ?
Les métiers de l'humanitaire sont nombreux. Pour apprendre à lire, il faut des enseignants. Pour construire des hôpitaux, il faut des ingénieurs…

Est-ce qu'il faut partir vivre dans les pays pauvres ?
Pas nécessairement. Il existe de nombreuses associations humanitaires qui exercent leur activité en France.

Respecter les autres

Quand, dans la vie de tous les jours, chacun tient compte des autres, la vie à plusieurs devient beaucoup plus agréable pour tout le monde.

Respecter les limitations de vitesse empêche de mettre sa vie et celle des autres en **danger**.

Chacun doit faire attention à ne pas faire trop de **bruit**, pour ne pas gêner ses voisins.

Garer sa voiture aux **endroits autorisés** permet aux piétons de circuler en toute sécurité.

Faire attention en montant les escaliers évite de bousculer un de ses camarades.

Ne pas se moquer des autres, c'est respecter la personnalité et la sensibilité de chacun.

Discuter au lieu de frapper permet de mieux résoudre les conflits et de ne pas vivre dans la peur.

Agir au quotidien

Tenir compte des autres, c'est respecter leur sécurité, leur confort, leur personnalité. C'est aussi prendre soin des choses qui appartiennent à tout le monde : ne pas écrire sur les murs, ne pas abîmer les livres d'école. C'est également faire attention à ne pas dégrader l'environnement dans lequel on vit, ne pas jeter ses papiers dans la rue ou ses ordures dans une rivière.

Prendre soin du matériel de l'école, couvrir ses livres, cela permet d'apprendre dans de bonnes conditions.

Éteindre son moteur dès que l'on s'arrête de conduire évite de rendre l'air que l'on respire trop dangereux pour la santé.

Ne pas détruire les Abribus permet d'attendre le bus sans avoir de courants d'air.

Déposer ses piles dans **une poubelle spéciale** évite de polluer l'eau.

A quoi ça sert d'être poli ?

La politesse est une règle de vie. Dire merci, ne pas claquer une porte sur le nez d'une personne qui vous suit montrent qu'on est soucieux des autres et qu'on les respecte.

Est-ce qu'on doit être poli avec ceux qui ne le sont pas ?

On doit être poli avec tout le monde, même avec ceux qu'on n'aime pas ou qui ne nous respectent pas. Il existe mille autres façons de manifester son mécontentement qu'un comportement impoli. Discuter et expliquer pourquoi on est mécontent, par exemple.

Est-ce que la politesse ça s'apprend ?

La politesse que l'on peut aussi appeler courtoisie est un comportement que l'on apprend avec ses parents et à l'école. Les copains et les copines de classe jouent aussi un rôle important. Quand on vit avec les autres, on fait attention à eux.

Les associations

De plus en plus de citoyens font partie d'associations internationales. Certaines associations aident les personnes en difficulté, d'autres luttent pour défendre l'environnement.

L'association **WWF** (fonds mondial pour la nature) organise des actions pour la protection des animaux menacés. Sur la photo, on voit des membres du WWF installer une baleine gonflable géante, devant le casino de Monaco, pour manifester contre ceux qui tuent les baleines.

La **Croix-Rouge** est une association fondée en 1863 pendant une guerre, pour soulager les souffrances humaines. Elle compte plus de 240 millions de membres.

Greenpeace est une association écologiste fondée en 1971. Elle mène des actions contre la pollution, contre les plates-formes pétrolières, par exemple.

Des hommes remarquables

Partout dans le monde, des hommes et des femmes ont lutté contre l'injustice en s'engageant personnellement.

De 1917 à 1948, le **Mahatma Gandhi** a organisé, en Inde, des actions non-violentes pour obtenir l'indépendance de son pays et rétablir la paix entre les musulmans et les hindous.

Martin Luther King était un pasteur noir américain. Il lutta contre les injustices que subissaient les noirs dans la société américaine. Il a été assassiné en 1968.

Nelson Mandela s'est battu contre l'apartheid en Afrique du Sud. L'apartheid, imposait une séparation entre les noirs et les blancs. Mandela a reçu le prix Nobel de la paix en 1993.

Les hommes ont toujours fait la **guerre**. Au XIVe siècle, ils se battaient encore avec des arcs et des flèches. Au cours des siècles suivants les hommes ont inventé des armes de plus en plus meurtrières.

La **bombe atomique**, lancée deux fois sur le Japon en 1945, a fait des milliers de morts en quelques secondes. Les pays qui possèdent cette arme se sont engagés à limiter sa fabrication et à ne plus pratiquer d'essai de cette arme.

Comment empêcher les guerres ?

Face à l'horreur de la Seconde Guerre mondiale, les hommes tentent de trouver des solutions pour maintenir la paix dans le monde.

Créée en 1945, l'organisation des Nations Unies (**ONU**) réunit presque tous les pays du monde. Elle envoie dans les pays en guerre, des militaires, les casques bleus, pour protéger les habitants et essayer de rétablir la paix.

Siège de l'ONU

Les inégalités dans le monde

Certains chiffres permettent de mieux comprendre les problèmes auxquels les pays pauvres sont confrontés.

Sur les 6 milliards de personnes qui habitent la Terre, **1,3 milliard** d'entre elles n'ont pas le minimum pour vivre.

Un enfant qui naît en Ouganda, un pays d'Afrique, **vivra deux fois moins** longtemps qu'un enfant qui naît en Suède.

250 millions d'enfants travaillent dans le monde. Parmi eux, 4 enfants sur 5 travaillent **sans recevoir d'argent**.

Glossaire

A

Administration : L'Administration, c'est l'ensemble des services de l'État.

Ambassadeur : Un ambassadeur est une personne qui représente son pays auprès d'un autre pays.

Assemblée nationale : En France, l'ensemble des députés s'appelle l'Assemblée nationale ; c'est aussi le nom de l'endroit où les députés se réunissent.

Association : Une association est un regroupement de personnes qui défendent les mêmes idées, qui pratiquent la même activité.

B

Biologique : Ce qui est biologique concerne la composition du corps.

C

Campagne électorale : La campagne électorale, c'est la période au cours de laquelle les candidats à une élection présentent leurs idées aux électeurs pour qu'ils votent pour eux.

Censurer : Censurer, c'est interdire la sortie d'un livre, d'un film, etc., ou en faire supprimer des passages.

Chômage : Être au chômage, c'est ne plus avoir de travail.

Citoyen : Un citoyen est une personne qui appartient à un pays. Quand on est né en France, on est un citoyen français.

Code : Un code est un recueil de lois. Le code de la route regroupe les lois sur la circulation, le code du travail regroupe les lois sur le travail, etc.

Communauté : Une communauté, c'est un groupe de personnes qui ont des caractères en commun : soit une même origine, soit une même langue, soit une même religion, etc.

Commune : Une commune, c'est une ville, ou un village. Elle est dirigée par un maire.

Cour d'assises : En France, la cour d'assises est le tribunal qui juge les crimes.

Culture : La culture, c'est l'ensemble des habitudes, des idées, des œuvres d'art qui caractérisent un pays.

D

Démocratie : Une démocratie est un pays dans lequel la population élit librement ses dirigeants.

Dépouillement : Pour faire le dépouillement d'un vote, on ouvre les enveloppes, on trie les bulletins de vote et on compte les voix.

Député : En France, un député est une personne élue à l'Assemblée nationale. Un député vote les lois.

Dopage : Le dopage, c'est le fait de prendre des médicaments pour augmenter sa force physique.

E

Élire : Élire, c'est choisir une personne par un vote. En France, le président de la République est élu par tous les citoyens.

État : L'État, c'est le nom utilisé pour parler d'un pays sur un plan politique.

État civil : L'état civil, c'est l'ensemble des renseignements concernant la vie d'une personne (nom, prénom, date de naissance, nationalité, etc.).

F

Famille : La famille, c'est l'ensemble des personnes qui ont un lien de parenté (parents, enfants, cousins, etc.).

G

Gouvernement : Le gouvernement, c'est le Premier ministre et l'ensemble des ministres.

Gracier : Gracier un condamné, c'est supprimer sa peine ou la réduire.

I

Impôt : Un impôt, c'est une somme d'argent que l'on doit donner à l'État ou à sa commune pour payer la construction des routes, des écoles, des hôpitaux, etc.

Infraction : Une infraction, c'est un acte contraire à la loi.

J

Justice : La justice, c'est une autorité qui fait respecter la loi.

L

Laïque : Une école laïque est une école non religieuse.

Lieu public : Un lieu public est un endroit où tout le monde peut aller. Un square est un lieu public. Une maison est un lieu privé.

Liste électorale : Une liste électorale, c'est une liste où sont inscrites toutes les personnes qui ont le droit de voter.

Livret de famille : Le livret de famille est un carnet où l'on inscrit le mariage des parents et les naissances des enfants.

Loi : La loi, c'est l'ensemble des règles qui définissent les droits et les devoirs de chacun dans un pays.

M

Magistrat : Le magistrat est celui qui est chargé de rendre la justice.

Maire : Le maire est la personne qui dirige une ville ou un village. Le maire est élu.

Meeting : Un meeting, c'est une grande réunion.

Ministre : Un ministre est un membre du gouvernement. Il y a un ministre pour l'éducation nationale, un ministre pour les transports, etc.

Monarchie : Une monarchie, c'est un pays dirigé par un roi ou une reine.

N

Nationalité : La nationalité, c'est le fait d'appartenir à une nation, à un pays. Quand on est né en France, on a la nationalité française.

O

Œuvre sociale : Une œuvre sociale, c'est une organisation qui aide des personnes en difficulté.

P

Parti politique : Un parti politique est une réunion de personnes qui ont les mêmes idées politiques.

Politique : la politique, c'est la manière dont un pays est gouverné.

Pollution : La pollution, c'est ce qui abîme la nature.

Pouvoir exécutif : Le pouvoir exécutif, c'est l'ensemble des personnes qui font appliquer les lois.

Pouvoir judiciaire : Le pouvoir

judiciaire, c'est l'ensemble des personnes qui rendent la justice.

Pouvoir législatif : Le pouvoir législatif, c'est l'ensemble des personnes qui votent les lois.

Président de la République : Le président de la République, c'est le chef de l'État, quand le pays est une République, comme la France.

Procès : Quand une personne est accusée d'un crime ou d'un délit, elle passe en procès. À la fin du procès, elle est condamnée ou acquittée.

Procès-verbal : Un procès-verbal est un document rédigé par la police, qui constate une faute et entraîne une amende.

R

Relations : Les relations sont les liens que les gens créent entre eux.

Répudier : Répudier, c'est renvoyer sa femme ; cette pratique n'existe que dans certains pays.

S

Salarié : Un salarié est une personne qui reçoit régulièrement un salaire en échange de son travail.

Sécurité sociale : En France, la Sécurité Sociale rembourse les médicaments et les consultations chez le médecin.

Sédentaire : La plupart des hommes sont sédentaires, ils vivent dans une ville ou un village, contrairement aux nomades qui vivent sous la tente et se déplacent d'un endroit à l'autre.

Sénateur : Un sénateur est une personne élue au Sénat, dont le rôle est de discuter et de voter les lois proposées par les députés.

Société : Vivre en société, c'est vivre en groupe, comme les hommes ou certains animaux, par exemple les abeilles.

Solidarité : Faire preuve de solidarité, c'est aider les autres.

Subvention : Une subvention, c'est une somme d'argent donnée pour aider une ville, une association, etc.

Suffrage universel : Lorsque tous les citoyens d'un pays ont le droit de voter, c'est le suffrage universel.

Symbole : Un symbole est un objet, une image qui représente autre chose. La colombe est le symbole de la paix, la balance, le symbole de la justice.

T-U

Tiers monde : Le tiers monde, c'est l'ensemble des pays les plus pauvres du monde.

Tradition : Une tradition est une habitude qui se transmet à travers les générations. Décorer un sapin pour Noël est une tradition.

Tribunal : Le tribunal, c'est le bâtiment où l'on rend la justice ; c'est aussi l'ensemble des personnes qui rendent la justice.

Union européenne : L'Union européenne, c'est l'association de 15 pays d'Europe. La France fait partie de l'Union européenne.

V

Valeurs : Les valeurs sont des principes qui nous paraissent importants pour organiser notre vie. La tolérance est une valeur.

Voter : Voter, c'est donner son avis dans une élection.

Index

Crédits photographiques

p. 22-g Pratt/Pries-DIAF
p. 22-d Mauritius-La Photothèque SDP
p. 23-h P. Cheuva-DIAF
p. 23-b AGE Fotostock-La Photothèque SDP
p. 24-h Mauritius-La Photothèque SDP
p. 24-b AGE-La Photothèque SDP
p. 38-g Collection Christophe L.
p. 38-d Collection Christophe L.
p. 39-hg Collection Christophe L.
p. 39-hd Collection Christophe L.
p. 39-b Collection Christophe L.
p. 40-h F. Pierrel-Explorer
p. 40-mg C. Abad-La Photothèque SDP
p. 40-mm Rey-La Photothèque SDP
p. 40-md G. André-La Photothèque SDP
p. 40-b R. Mattes-Explorer
p. 54-hd D. Barnes-La Photothèque SDP
p. 54-mg Decker-La Photothèque SDP
p. 54-mm M. & C. Subervie-La Photothèque SDP
p. 54-md J. Dalban-La Photothèque SDP
p. 54-bg P. Wysocki-Explorer
p. 54-bm Pictures-La Photothèque SDP
p. 54-bd H. Petersen-La Photothèque SDP
p. 55-hg Mauritius-La Photothèque SDP
p. 55-hm Barrelle-La Photothèque SDP
p. 55-hd Mauritius-La Photothèque SDP
p. 55-mg Tibor Bognar-La Photothèque SDP
p. 55-mm Mauritius-La Photothèque SDP
p. 55-md J. Alexandre-La Photothèque SDP
p. 55-bg C. Gerolimetto-La Photothèque SDP
p. 55-bm G. Marche-La Photothèque SDP
p. 56-b R. Kord-La Photothèque SDP
p. 70-h Nice Matin/SIPA
p. 70-b Greenpeace/EFE/Sipa
p. 71-hg Peterson-Liaison/Gamma
p. 71-hd Archives Nathan/DR
p. 71-m Photo Usis
p. 71-b Archives Nathan-G. Julien/AFP
p. 72-g Archives Nathan
p. 72-m S. Ferry/Gamma-Liaison
p. 72-d Jinies-Sipa Press
Couverture (dos) P. Cheuva-DIAF

N° projet 10077262 (I) Octobre 2000
Imprimé en Italie par G. Canale & C. S.p.A. (Turin)

21, rue du Montparnasse, 75 006 Paris. ISBN 2-03-565030-5
Photogravure Passport
Conforme à la loi numéro 49 956 du 16 juillet 1949 sur les publications destinées à la jeunesse.